CW00369579

Les animaux de Lou

Tu es chou, Petit Chat !

Des romans à lire à deux, pour les premiers pas en lecture !

La collection Premières Lectures accompagne les enfants qui apprennent à lire. Chaque roman peut être lu à deux voix : l'enfant lit les bulles et un lecteur confirmé lit le reste de l'histoire.

Cette collection a trois niveaux :

JE DÉCHIFFRE les bulles peuvent être lues par l'enfant qui débute en lecture.

JE COMMENCE À LIRE les bulles peuvent être lues par l'enfant qui sait lire les mots simples.

JE LIS COMME UN GRAND les bulles peuvent être lues par l'enfant qui sait lire tous les mots.

Quand l'enfant sait lire seul, il peut lire les romans en entier, comme un grand !

Un concept original **+** des histoires simples **+** des sujets qui passionnent les enfants **+** des illustrations :
des romans parfaits pour débuter en lecture avec plaisir !

Cette histoire a été testée par Francine Euli, enseignante, et des enfants de CP.

L'orthographe rectifiée, qui fait désormais référence dans les programmes scolaires, est appliquée dans cet ouvrage.

Loi n°49-956 du 16 juillet 1949 sur les publications destinées à la jeunesse, modifiée par la loi n°2011-525 du 17 mai 2011
ISBN : 978-2-09-255077-9

JE DÉCHIFFRE | JE COMMENCE À LIRE | **JE LIS COMME UN GRAND**

Tu es chou, Petit Chat !

TEXTE DE MYMI DOINET

ILLUSTRÉ PAR MÉLANIE ALLAG

Pour les vacances, Lou va rendre visite à Danno, son grand copain du CP, qui vit maintenant au Japon. Là-bas, Mamiko, la mamie de Danno, s'occupe d'un bon petit resto.

Dans la vitrine, un chat porte-bonheur agite sa patte. Mais il y a un autre matou ici…
C'est bon, le riz et le saumon !

C’est le chaton de Danno ! Dès que Mamiko prépare les repas, le bébé chat vient lui chiper des crevettes.
Lou le câline :

Kimi, la fille de la voisine, les regarde par la fenêtre de la cuisine. Lou lui dit d'entrer, mais Kimi s'enfuit sans dire un mot.

Le lendemain, vive la fête des cerisiers en fleurs ! Mamiko a emporté le pique-nique dans des bentos, de très belles boites.

Danno promène son chaton comme un chiot au beau milieu du parc.

Kimi est là aussi, mais elle ne vient pas jouer. Elle marche au loin, toute seule, toute triste.

Danno lâche la laisse un instant
pour faire des bouquets avec Lou.

Le chaton en profite, hop ! il poursuit les pétales des fleurs de cerisier qui volent comme des papillons.

Le jeune félin court plus vite que son ombre. Puis il disparait...

Où est passé le chaton ? Heureusement, Lou comprend le langage des animaux ! Là-haut dans les cerisiers, les mésanges qui voient tout vont l'aider. Mais elles gazouillent :

Les pies bleues sont du même avis.

Tout à coup, Lou aperçoit quelque chose de rouge sur le tapis de pétales roses.

Hélas, il n'y a personne au bout !

Mamiko se fait du souci. Si le chaton monte sur les toits, les chats de gouttière vont l'attaquer.

Lou réfléchit… Petit Chat se cache peut-être derrière le grand rocher pour pêcher des poissons ?

Mais fausse piste : pas de Petit Chat.

La nuit venue, Lou tremble,
car, au pied du rocher, un lézard
s'est transformé en dragon.

Roaaah ! Il va croquer le chaton tout cru. Lou hurle :

Grimpe dans mes bras, Petit Chat !

Mais, ouf ! Ce n’était qu’un cauchemar.

Le lendemain, toujours pas de chaton ! Mamiko affiche sa photo. Elle promet un plateau de sushis à la personne qui le ramènera. Lou supplie le chat magique :

Le chat porte-bonheur bouge sa patte en montrant Kimi derrière la vitre. Tiens, tiens, pourquoi a-t-elle l'air si gaie, maintenant ?

La petite voisine invite Lou et Danno à venir chez elle...

Kimi montre ses origamis : en pliant du papier, elle a fait des mistigris.

Soudain, ça miaule sous son lit.

Lou se baisse, Petit Chat est là !

Danno se met en colère :

Kimi pleure. Elle aussi rêve de s’occuper d’un animal, mais kidnapper un chaton, ça non ! Hier, le Petit Chat s’est perdu dans le parc. Fatigué, il l’a suivie et il s’est endormi dans sa chambre.

Kimi n’a pas osé le réveiller.

Le chaton miaule :

Petit Chat serait-il aussi un matou porte-bonheur ? Car, aussitôt, toc, toc ! Qui frappe à la porte ?

Ce sont les parents de la petite voisine.

Ils chantent :

Que cachent-ils dans leur panier ?

Oh ! Un chaton noir.

À midi, dans le resto de Mamiko, il y a un bon gâteau d'anniversaire, et puis aussi trois chats : le chat porte-bonheur de la vitrine, Petit Chat et le chaton de Kimi.

Neko !
Ça veut dire
« chat »
en japonais !

Lou te dit tout sur le chat

Un chat porte-bonheur

Il existe toutes sortes de chats : des siamois, des angoras, etc. Celui de cette histoire est un chat bobtail. Reconnaissable à sa courte queue qui ressemble à un pompon, c'est lui que l'on voit en figurine dans les magasins asiatiques avec sa patte qui bouge en signe de bienvenue. On dit qu'il porte chance, un vrai grigri ce mistigri !

Champion de sieste

Le chat dort en moyenne 16 heures sur 24. Il bâille souvent, environ 40 fois par jour.

Quand il se repose, ses griffes sont rentrées. Le petit fauve les sort uniquement quand il en a besoin.

Il fait partie de la grande famille des félins

Comme le tigre, la panthère et le lynx, le chat est un félidé. Ses dents sont pointues. Normal, c'est un carnivore friand de viande, comme son cousin le lion, le roi des animaux.

Le chat est très propre

Il consacre beaucoup de temps à se laver. Malin, il recouvre ses pattes avant de salive et s'en sert comme de gants de toilette. Et pas besoin de peigne : il démêle ses poils avec sa langue râpeuse.

Pas touche à ses moustaches !

Ne coupe jamais les moustaches d'un chat ! Elles lui permettent de sentir et de contourner tous les obstacles.

Bravo ! Tu as lu un livre en entier !
Tu as aimé cette histoire ?

Retrouve Lou dans d'autres aventures !

N° éditeur : 10243222 – Dépôt légal : juillet 2014
Achevé d'imprimer en janvier 2018 par Pollina - 83620
(85400 Luçon, Vendée, France)